Olivier Challet

*Pour Colin,
bonne aventure
en compagnie
de Woof,
Olivier Challet*

WOOF !

Opération bifteck

Aux pensionnaires
de la Patoche

Illustrations
R. Binette

Dominique et compagnie

LES HÉROS

Woof, agent TRÈS secret.
Les Services secrets canins
de Pitville me confient
les enquêtes les plus
délicates et les plus
périlleuses. Mes atouts ?
Esprit vif, courage, flair
incomparable et surtout…
un réseau de contacts
solide.

**Adèle, porteuse
d'ordres de mission.**
Ma fidèle collègue me
transmet les messages
ultra-confidentiels
de mon employeur.
Sa discrétion est légendaire,
et ses coups de crocs
redoutables…

**Mélia, responsable
des relations publiques.**
Entièrement dévouée
au Conseil de Pitville
(l'organisme qui assure
l'harmonie entre
les différentes espèces
animales vivant dans
la ville), Mélia est au courant
de tout… et aussi
des nombreux potins…

Ambroise, patriarche.
Respecté de tous,
Ambroise engloutit
plusieurs kilos de viande
par jour et ne sort
pratiquement pas de
sa niche. Attention :
ne jamais le déranger
pendant la sieste !

Johnny, râleur professionnel.
« Ouaf ! Grrr ! Aououh !!! »
Le féroce pitbull du voisin
adore me défoncer les
oreilles avec ses aboiements
enragés. Même si on ne lui
a rien demandé, Johnny
s'est fixé comme objectif
de surveiller tout le quartier.

Oscar, chef de la police des chiens.
Quel âge peut-il bien
avoir ? Ne devrait-il pas
être à la retraite ?
Personne n'a jamais osé
le lui demander. Certains
disent qu'il a vingt ans,
d'autres avancent qu'il en
a vingt-cinq…

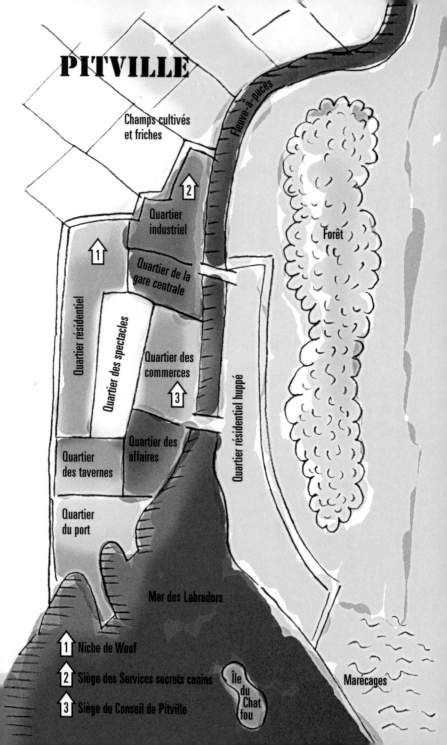

CHAPITRE 1

La mission

Je m'appelle Woof
et je suis AGENT SECRET.
Vous ne me croyez pas ?
Attendez un peu…

Un jeudi matin, alors
que j'accompagne Joséfa
(la gouvernante) au marché

de Pitville, je me retrouve
une nouvelle fois attaché
à un lampadaire, face
à la boucherie Largo.
Quel supplice !
Des dizaines de

CHAPELETS DE SAUCISSES

PENDOUILLENT dans

la vitrine, juste devant moi,
au milieu d'énormes
jambons. Aouuuuu !
Aouuuuu ! Aouuuuu !

Derrière la vitrine, Joséfa
me fait **LES GROS YEUX**,
pour me faire taire.
Je voudrais bien la voir
à ma place ! Je fais les cent
pas autour du lampadaire,
mais je n'arrive pas

à détacher mon regard
de CES ÉTALAGES !

Lorsque Joséfa sort enfin
de la boucherie, les odeurs
de viande viennent
me CHATOUILLER
LA TRUFFE.

— Ce n'est pourtant pas
la première fois que
tu viens ici, Woof !
Tu ne sais pas te tenir !
me gronde-t-elle.

Je me renfrogne,
ça me met de MAUVAIS
POIL. Elle me détache,
puis nous continuons
NOTRE EXPÉDITION.

Il y a beaucoup de monde
dans le quartier et il faut
faire très attention de
ne pas se faire PIÉTINER
LE BOUT DES PATTES.

La prochaine destination
est une boulangerie-

pâtisserie. Cette fois,

Joséfa accepte que

je l'accompagne

à l'intérieur du magasin

(il faut dire qu'un gâteau,

c'est moins appétissant

qu'un bifteck !).

C'est alors que j'aperçois

Adèle, qui court dans

notre direction. Il faut

ABSOLUMENT que j'aille

à sa rencontre !

Adèle est `UN` `CANICHE` `ROYAL`. C'est elle qui me transmet les ordres de mission des Services secrets canins de Pitville. Car je suis réellement agent secret !

Je tire DE TOUTES
MES FORCES sur la laisse,
et Joséfa finit par céder
(elle doit penser que
je veux faire mes besoins !).
Dehors, elle m'attache
à un poteau, avant de
retourner dans le magasin.
Quelques secondes
après, Adèle PIAFFE
D'IMPATIENCE à mes côtés.

— Tiens, voici ta nouvelle mission, Woof! jappe-t-elle en jetant LE ROULEAU DE PAPYRUS à mes pattes. Dépêche-toi de la lire, avant que Joséfa ne ressorte!

Je jette un œil à l'intérieur de la boulangerie, puis je déplie LE PARCHEMIN et le parcours des yeux.

Votre mission, Woof,
si vous l'acceptez,
sera de trouver qui est
à l'origine des vols à
répétition à la boucherie
Largo, dans le quartier
des commerces.

Depuis plusieurs mois,
en effet, des kilos et des
kilos de bifteck y sont
dérobés par des chiens
(enfin c'est ce que nous

supposons), ce qui nuit à notre réputation auprès des humains. Vous devez donc mettre un terme à ce trafic avant qu'il ne soit trop tard.

Nous comptons sur vous, Woof.

Comme d'habitude, Adèle prendra soin de détruire ce message une fois lu. Bonne chance !

Surpris, je relis le texte :

LA BOUCHERIE LARGO!!!

— Alors ? me demande
Adèle. Tu acceptes ?

— Mais… c'est
la boucherie d'où je viens !!!

— Je sais, Woof.

NOM D'UNE SAUCISSE !
Qu'est-ce que c'est
que cette histoire !
Je dois ab-so-lu-ment
élucider ce mystère !

— C'est d'accord,
dis-je en aboyant.
J'accepte la mission.
Aussitôt, ADÈLE se
précipite sur le papyrus
et le déchiquette à coups
de crocs violents,
avant de disparaître.

CHAPITRE 2

Un premier indice

Durant l'après-midi,
je m'échappe de la maison
afin de commencer
ma mission. MON IDÉE :
m'installer à l'arrière

de la boucherie Largo

et SURVEILLER les lieux.

Arrivé à destination,

je trouve un endroit à l'abri

des regards, entre un amas

de cageots vides et

une rangée de poubelles

(les inconvénients du

métier !), à une dizaine de

mètres de la façade arrière.

LA PLANQUE IDÉALE,

quoi !

Mon museau frémit,
car les odeurs de viande
sont intenses. Ça sent
le bifteck À PLEINE
TRUFFE ! Je me lèche
les babines (FLIP-FLOP),

histoire de ne pas

en perdre UNE MIETTE.

Comment vais-je résister

à la tentation d'entrer

dans l'arrière-boutique

pour me mettre quelque

chose sous la dent ?

Soudain, j'aperçois

LE BOUCHER dans

l'encadrement de la porte

de service (il est gros,

fort et musclé !).

Je me RATATINE sur
le sol. S'il me découvre,
il sera très en colère et
risque de me transformer
en VIANDE HACHÉE !

Heureusement,
il ne remarque pas
ma présence et retourne à
l'intérieur de la boucherie.
Je l'ai ÉCHAPPÉ BELLE !

Le calme revient…
et les minutes défilent,

sans que rien ne bouge.

Je lutte pour ne pas

m'endormir, car je n'ai pas

pris le temps de `FAIRE`

`LA` `SIESTE` !

Mes paupières

sont lourdes, mes oreilles

s'affaissent. Et puis,

avec toutes ces odeurs,

je commence à avoir

`DES` `HALLUCINATIONS` :

j'aperçois des biftecks qui virevoltent autour de moi ! J'essaie d'en attraper un AVEC MA PATTE... et je me retrouve LE MUSEAU PAR TERRE. Et ce qui devait arriver arrive : je m'endors...

Quelques minutes plus tard, des cris me réveillent. Je relève la tête, HÉBÉTÉ. Où suis-je ?

Que se passe-t-il ?

Et pourquoi ça sent

si bon autour de moi ?

Je me retourne

et j'aperçois `TROIS`

`DOBERMANS` qui s'enfuient

à toute vitesse, un bifteck

`DANS` `LA` `GUEULE`. Derrière

eux, le boucher gesticule

et hurle comme un fou.

Lorsque je comprends

la situation, il est trop tard :

les chiens sont loin.

Je renifle autour de moi,

mais le vent éloigne

les odeurs et je suis

incapable de suivre leur
trace. Je me sens **PENAUD** !

Mais au moins, désormais,
je détiens un indice.

CHAPITRE 3

Ça sent le bifteck !

Sur le chemin du retour, je décide de rendre visite à Ambroise. Ambroise est un molosse réputé pour ENGLOUTIR plusieurs

29

kilos de viande par jour.

Il saura peut-être

me renseigner sur le trafic

de `LA` `BOUCHERIE` `LARGO`.

 Ambroise habite

à quelques pas, dans

le quartier des commerces.

Je me faufile à travers

les ruelles du marché

et je le retrouve chez lui,

affalé `DEVANT` `SA` `NICHE`.

— Tu sens drôlement
bon, Woof ! me lance-t-il
en RETROUSSANT
LES BABINES.
Où donc as-tu traîné
ta pauvre CARCASSE ?

— À la boucherie Largo.

Aussitôt, `AMBROISE`
se raidit. Je crois que je l'ai
mis de mauvaise humeur.
Au loin, on aperçoit
le marché qui commence
à se vider.

— Pourquoi es-tu allé
dans `CETTE BOUCHERIE` ?
me demande-t-il
`D'UN TON BOUGON`.

Ambroise est un peu trop curieux… Après tout, c'est moi L'AGENT SECRET qui pose les questions! Je décide d'aller DROIT AU BUT.

— Es-tu au courant d'un trafic dans cette boucherie? J'y ai vu trois dobermans en train de voler des biftecks…

La grosse tête du molosse se plisse, signe qu'il est mal à l'aise.

— Ambroise ?!

— Il faut que je t'avoue quelque chose, Woof…

— Quoi donc ?

Le patriarche se redresse et fait quelques pas AUTOUR DE SA NICHE, pour s'assurer que personne ne nous entend.

34

— Il y a plusieurs années,
lorsque mes maîtres ont
emménagé dans le quartier,
j'ai moi aussi découvert
CE TRAFIC. C'est facile,
j'habite juste à côté !

Je relève une paupière,
intrigué.

— À l'époque, continue Ambroise, j'ai voulu dénoncer les dobermans auprès DU CONSEIL, mais ils m'ont offert plusieurs biftecks pour que je ne parle pas…

NOM D'UNE SAUCISSE ! Je ne m'attendais pas à une telle confession de sa part !

— Mais enfin, Ambroise !

— Je sais, Woof, ce n'est

pas très honnête

de ma part. Mais je suis

gourmand …

— Ça a duré longtemps ?

— Quelques semaines,

tout au plus.

— Et depuis ?

Ambroise plonge ses yeux

dans les miens. Il sait

qu'il n'a pas le droit de

me mentir (JE SUIS SON AMI !).

— Depuis, il ne se passe plus rien, je te le jure, Woof. Je pensais bien que ce trafic de biftecks était

terminé. Mais avec ce que tu viens de me dire, je vois qu'il n'en est rien !

Le molosse s'affale sur la pelouse, **L'AIR PITEUX**. Il n'ose même plus me regarder ! Mais je n'en ai pas fini avec mes questions.

— Et les dobermans, tu sais où je peux les trouver ?

— Non, je l'ignore, Woof. Je suis sincère. Mais si

je peux t'aider dans

ton enquête, n'hésite pas

à revenir me voir…

Je sens que je dois partir,

car `AMBROISE` retourne

dans sa niche (et lorsqu'il

fait une sieste, il ne faut

`SURTOUT` `PAS` `L'EMBÊTER` !).

Sans perdre un instant,
je me remets en chemin.

CHAPITRE 4

Un pitbull frustré !

Alors que je m'apprête
à pénétrer dans la propriété
de mes maîtres, Johnny,
le féroce pitbull du voisin,

se met à aboyer COMME
UN HOMME ENRAGÉ.

— C'est quoi ce parfum
de bifteck ? grogne-t-il.

Décidément, je dois
sentir vraiment fort !
Je suis resté trop longtemps
près de la boucherie et les
odeurs se sont imprégnées
DANS MON PELAGE.

Pour régler cette histoire,
je décide d'aller voir Johnny.

— Oui, je sais,

je sens le bifteck…

de la boucherie Largo.

Johnny ravale sa salive

d'un seul coup de langue

(S L U U U R P).

— Comment ça ?

— J'y ai passé

l'après-midi…

— Hein !

Johnny, comme Ambroise,

se montre très intéressé.

— Tout l'après-midi?
insiste-t-il.

Pour avoir LA PAIX, je
décide de tout lui raconter.

— Un trafic de viande ?
hurle-t-il. Mais c'est
fabuleux ! Moi aussi, je veux
y participer !

Je hoche la caboche, en
signe de désappointement.
Je n'en crois pas
MES LONGUES OREILLES :
après Ambroise, c'est
au tour de Johnny. Je suis
vraiment bien entouré !

— Non, tu ne vas pas
pouvoir profiter
de **CE TRAFIC** !

— Et pourquoi pas ?
demande-t-il innocemment.

— Parce que
c'est IL-LÉ-GAL !

Johnny se met à BOUDER :
il plisse le museau et
fait semblant de vouloir
me MORDRE. Mais je me
montre inflexible.
Ma mission est de stopper
ce trafic, et non pas
de l'encourager !

— C'est injuste,
se lamente-t-il. Ce sont
toujours les mêmes qui…

Johnny ne finit pas
sa phrase, tellement il est
frustré. Je ne l'ai jamais vu
dans un état pareil.

Je lui dis au revoir,
mais il ne me répond pas.

Tout ça à cause de biftecks !

CHAPITRE 5

Tout déboule !

Le lendemain matin,
je retourne surveiller la
boucherie Largo. Ma seule
chance est que les trois
dobermans POINTENT
à nouveau LEUR MUSEAU,

et que j'arrive cette fois-ci
à les suivre.

Pour ne pas me faire
remarquer, je décide de me
cacher dans une poubelle
vide renversée sur le sol
(AOUTCH, ça pue !),

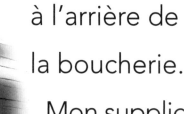 à l'arrière de
la boucherie.
Mon supplice
ne dure pas,
car peu de

temps après mon arrivée,

je sens la présence

d'un doberman. **JE REMUE**

LA TRUFFE, pour en être

certain. Aucun doute

possible : malgré

la puanteur qui m'entoure,

je reconnais l'odeur racée

de ce chien.

Je sors discrètement

LA CABOCHE de la poubelle,

et j'aperçois le doberman

qui pénètre dans
le commerce en poussant
la porte de service avec
sa patte. `MON` `CŒUR`
`S'EMBALLE` ! Je me tiens
en alerte, prêt à bondir.
C'est alors que tout
`DÉBOULE` !

Le doberman ressort
rapidement de l'arrière-
boutique, un bifteck dans
la gueule, et `S'ENFUIT` `AU`

`TRIPLE` `GALOP`. Je bondis

à mon tour, en me cognant

au passage contre

le couvercle de la

poubelle (`AÏE`!).

Mais ce n'est pas

le moment de faire

mon pleurnicheur : `QU'UN`

`MASTIFF` `M'ÉCRABOUILLE`

`LA` `QUEUE` si je perds

de nouveau la trace

de ce voleur !

CHAPITRE 6

Le repaire

Le doberman n'a pas l'intention de s'éterniser dans **LE QUARTIER**, je le sens bien.

Heureusement, cette fois-ci, le vent est avec moi, et j'arrive à suivre

le suspect numéro un grâce

à `MON` `FLAIR` `DE` `BASSET`

`HOUND`. Mais je dois quand

même faire vite, car des

odeurs à Pitville, il y en a

beaucoup ! Et je risque de

 les mélanger !

Après avoir

traversé

le quartier des

commerces,

je me retrouve

près de la gare, dans
une ruelle malfamée.
Le doberman doit
connaître son chemin
SUR LE BOUT DES PATTES,
car il emprunte des voies
peu fréquentées, pour
ne pas se faire prendre.

Je renifle tout sur
mon passage (poubelles,
poteaux, vélos, lampadaires,
buissons…). Je suis bien sur

la bonne piste, car l'odeur

du doberman ET SURTOUT

CELLE DE SON BIFTECK

demeurent intenses.

   Plusieurs ROQUETS

(des habitués du quartier)

me regardent de travers,

mais heureusement

je ne fais que passer. Après

deux autres ruelles (aussi

CROTTÉES que la première),

je pénètre dans le quartier industriel.

Autour de moi, les cheminées des bâtiments CRACHENT de la fumée blanche. Je me sens bien loin de ma niche !

Il n'y a **PERSONNE**.

Les humains travaillent,

et les chiens ne sont pas

nombreux dans ce quartier.

Enfin, j'aperçois les limites

de Pitville. Après, il n'y a

plus rien, excepté

DES CHAMPS CULTIVÉS

ET DES FRICHES.

Et c'est là que je me

dirige !

C'est la première fois que
je sors de la ville. Je suis
excité, mais je sais que ça
peut être DANGEREUX.

Je m'engage sur
un chemin de terre,
entre un champ de salades
(POUAH !) et un autre
de fraises (BEURK !). C'est
poussiéreux, je risque
de changer de couleur !

Au bout du chemin,

il y a un talus. Je ralentis, car

l'odeur de bifteck s'amplifie.

Ma truffe FRÉMIT, mes

oreilles se REDRESSENT.

Je suis près DU BUT !

Soudain, j'entends plusieurs dobermans aboyer. Ai-je été repéré ? Tant pis, je continue.

Je rampe jusqu'en haut du talus (ce n'est pas facile, avec MON GROS VENTRE ET MES PETITES PATTES BOUDINÉES !).

Et là, j'aperçois une sorte de repaire, avec au moins cinq dobermans,

`AU` `PELAGE` `LISSE`
`ET` `BRILLANT`. Et aussi
une montagne `DE` `VIANDE`,
entreposée à l'ombre près
d'un muret ! De quoi
nourrir une meute de chiens
pendant des semaines !
`NOM` `D'UNE` `SAUCISSE` !
Je n'ai jamais vu autant
de biftecks de toute ma vie !

CHAPITRE 7

Un griffon en renfort

D'instinct, je rebrousse chemin. Quoi faire ? Comment arrêter les dobermans et mettre fin à ce trafic ?

Je décide d'aller voir
Oscar, `LE` `CHEF` `DE`
`LA` `POLICE`, et de tout lui
raconter, pour qu'il vienne
arrêter les voleurs.

Je cavale donc jusqu'au
quartier des commerces,
où se trouve son bureau.

Je trouve le `VIEUX` griffon
 d'arrêt tchèque affalé
dans son cabanon,
l'air morose.

— Bonjour, Oscar, ça ne va pas ?

— Qu'est-ce que je peux faire pour toi, Woof ? aboie-t-il en guise de réponse.

Je sens que ça ne va pas être facile ! Je joue donc `PATTES` `SUR` `TABLE`.

— J'ai besoin de ton aide, Oscar. C'est à propos d'un trafic à la boucherie Largo.

Oscar DRESSE LE MUSEAU.

— Quel genre de trafic?

demande-t-il.

— Un trafic de viande,

surtout des biftecks

(il faut être précis!).

Cette fois, le chef de la

police devient TRÈS, TRÈS,

TRÈS intéressé. Il se met

à HALETER et à BAVER.

Sa langue PENDOUILLE

jusqu'à traîner par terre!

Qu'est-ce qui peut bien lui arriver ?

— Tu as des preuves, Woof ?

— Oui, dis-je fièrement, LA POSTURE BIEN DROITE. Ce sont des dobermans qui ont fait le coup. J'en ai surpris plusieurs et je les ai suivis. Je sais où se trouve leur repaire, je peux t'y emmener.

Oscar, qui d'habitude a l'air si vieux (personne ne connaît son âge !), a retrouvé SA FOUGUE de jeunesse. Il ne tient plus en place.

— Tu as fait du beau boulot, Woof, crois-moi.

Je relève une paupière,
`TOUT` `FIÉROT`. Je propose
de nous mettre en route
aussitôt, pour ne pas
laisser traîner les choses.

Sans que je comprenne
pourquoi, Oscar change
alors `D'ATTITUDE`.
Il s'immobilise et réfléchit.

— Mais c'est une grosse
affaire… D'après ce que
tu me dis, Woof, on parle

de plusieurs dobermans.

On ne peut donc pas

les arrêter juste toi et moi.

Il nous faut de l'aide…

Les paroles du `VIEUX`

`CHIEN` respirent le bon sens.

— Où se trouve leur

repaire? enchaîne-t-il.

— En dehors de la ville.

`AU` `NORD`, au milieu

des champs cultivés

et des friches…

Oscar fait la grimace,
je sens qu'il y a un os.

— Raison de plus pour

trouver de l'aide, Woof!

Voilà ce que je te propose…

Le vieux griffon se

rapproche de moi de façon

solennelle. NOM D'UNE

SAUCISSE ! Que va-t-il

m'annoncer?

— On va attendre demain

matin avant d'intervenir.

D'ici là, je vais RÉUNIR

plusieurs de mes chiens,

parmi les plus expérimentés.

Comme ça, nous n'aurons

aucun problème.

— Mais…

— Je suis le chef et

tu dois m'obéir, Woof !

Je sais très bien qu'Oscar

a raison, mais j'aurais aimé

agir SUR-LE-CHAMP !

Je suis agent secret et j'ai

une mission à terminer au plus vite ! Je dois toutefois me montrer COOPÉRATIF.

— C'est d'accord, Oscar…

— Bien. Alors, retrouve-moi ici demain matin.

Je ressors du cabanon, CONTRARIÉ. La bonne nouvelle est que je vais POUVOIR faire la sieste durant l'après-midi, pour

être en forme au moment
de **L'INTERVENTION** !

À quelques pas de la
maison, le pitbull du voisin
m'interpelle une nouvelle
fois (il ne me laissera donc
jamais tranquille, celui-là ?).

— Alors,
Woof, ce
TRAFIC DE
BIFTECKS !
Tu es sûr

que je ne peux toujours
pas y participer ?

— Oui, je suis sûr,
Johnny. Je te l'ai déjà dit :
« c'est illégal ! »

— Mais je ne dirai rien
à personne, c'est promis !
MIAULE-T-IL tristement.

Je hoche la caboche.
Décidément, mon voisin
est irrécupérable !

— Je te le répète,
Johnny, c'est non !

Et sans attendre de
réponse, je me dirige
vers ma niche pour y faire
la sieste. Enfin !!!

ZZZ ZZZ zzz...

CHAPITRE 8

L'intervention

Le lendemain matin, Joséfa (la gouvernante) me sert mon plat favori : un RAGOÛT DE BOULETTES. Ça tombe bien, car je dois prendre des forces !

Après avoir dégluti **MA PÂTÉE**, je m'échappe de la maison (**UN JEU D'ENFANT** !) et fonce retrouver Oscar, le chef de la police. Je me sens un peu **BALLONNÉ**, mais ça passera !

— Alors, Woof, bien dormi ? me demande

le vieux griffon. J'espère
que oui, car la matinée
s'annonce longue !

Autour de lui, plusieurs
autres chiens (`DES` `MALINOIS`
`GRIS`) sont allongés sur
le sol et attendent
le signal du départ.

— Oui, j'ai bien dormi (je
ne mens pas, c'est la vérité !).

— Bon, alors, dépêchons-
nous. En route !

Et nous voilà PARTIS, direction les champs cultivés et le repaire des voleurs.

Je prends la tête de l'expédition avec Oscar sur ma droite. LES MALINOIS nous talonnent.

Les humains se retournent sur notre passage et doivent bien se demander `CE` `QUE` `NOUS` `FABRIQUONS` !

J'emprunte le même chemin que la veille. L'odeur des dobermans et

des biftecks est encore forte,

je n'ai aucun mal à la suivre.

— J'espère que tu es sûr

de toi, Woof ! me prévient

le chef de la police,

alors que nous arrivons

dans le quartier industriel.

Je ne voudrais pas avoir

mobilisé mon équipe

POUR DES PRUNES !

— Je suis sûr de moi,

Oscar !

Quelques minutes plus tard, j'aperçois le chemin de terre menant jusqu'au talus, entre les champs de salades (POUAH !) et de fraises (BEURK !).

Le cœur battant, je m'écrie :

— Nous arrivons !

Mes petites pattes boudinées s'activent et me propulsent EN UN QUART DE TOUR en haut du talus.

Là, je demeure stupéfait.

Nom d'une saucisse !

LE REPAIRE A DISPARU !

Oscar arrive à son tour et me jette un regard à la fois interrogatif et suspicieux.

— Alors, Woof, il est où ce repaire ?

Je n'arrive pas à y croire ! Que s'est-il passé ?

— Eh bien, Woof, tu as une explication à me donner ?

— Je… Le… En fait…

— Mais encore ?

C'est insensé ! Je fais un tour sur moi-même, pour vérifier. Aucun doute possible, `L'ENDROIT` est complètement désert.
Il n'y a plus aucune trace des dobermans. Le chef de la police se met à rire `COMME` `UNE` `HYÈNE`.

— Mais enfin, Oscar,

tu ne sens pas l'odeur de

bifteck encore toute fraîche?

Le vieux griffon rigole

de plus belle.

— Allez, les amis,

on retourne à

la maison, annonce-t-il.

J'ai du travail qui m'attend

à mon bureau, moi !

L'OPÉRATION BIFTECK

est terminée !

CHAPITRE 9

La vérité, enfin !

Je suis A-BA-SOUR-DI !
Que s'est-il passé ? Tandis
que je trottine jusqu'à
la maison, les questions
se bousculent DANS
MA CABOCHE. Je n'arrive
pas à comprendre.

Je n'ai parlé à personne
de ma mission secrète.
Alors, comment
les dobermans ont-ils pu
être avertis et `DÉGUERPIR`
avant notre intervention ?

 `À` `PERSONNE`, vous
m'entendez ?

…

À personne… Vraiment ?

…

Nom d'une saucisse !

OSCAR !

Le seul chien qui a pu prévenir les dobermans, c'est forcément Oscar !

Il n'y a aucun doute ! Mais pourquoi aurait-il fait ça ?

Je décide d'aller voir Mélia, pour lui demander conseil.

Je reprends la direction du quartier des commerces, SEUL.

Je trouve LA JOLIE

DALMATIENNE allongée

 dans son

bureau (en

train de

réfléchir),

LE MUSEAU

ENFOUI

entre ses pattes avant.

— Bonjour, Woof,

me salue-t-elle en relevant

les paupières.

— Il faut que je te parle, Mélia. C'est urgent.

Aussitôt, elle se redresse, inquiète.

— Vas-y, je t'écoute.

— C'est au sujet d'Oscar, le chef de la police. Je crois qu'il est impliqué dans UN TRAFIC DE BIFTECKS !

J'explique la situation (en long et en large) à MA FIDÈLE AMIE.

— **QUELLE HISTOIRE** !
aboie-t-elle lorsque
j'ai terminé. Oscar serait
corrompu ! Il faut que nous
en ayons **LE CŒUR NET** !

— Que proposes-tu ?

— Eh bien, si nous allions
lui rendre visite ?

Quelques secondes
après, nous nous dirigeons
vers le cabanon du chef
de la police, situé à côté

de l'entrepôt du Conseil.

À peine arrivés, nous

apercevons Oscar

en train de quitter

son bureau

`SUR` `LA` `POINTE`
`DES` `PATTES`.

— Suivons-le ! me

murmure Mélia à l'oreille.

Nous reprenons

la direction `DU` `NORD`

`DE` `PITVILLE`. Oscar a l'air

nerveux, car il n'arrête pas
de jeter des regards
inquiets SUR SES FLANCS.
Mélia et moi demeurons
sur nos gardes, il ne faut
pas qu'il nous remarque !

Nous traversons
le quartier de la gare À
LA VITESSE DE L'ÉCLAIR,
puis nous arrivons dans
le quartier industriel,
près de l'usine de patates.

Soudain, Oscar se
retourne, et nous avons
tout juste le temps
de nous cacher derrière
une voiture. **F I OU** !

— Qu'est-ce qu'il fait ici ?
me demande Mélia.

— Aucune idée…

Discrètement,
JE **M'APLATIS** sous
la voiture et rampe jusqu'à
l'avant, afin d'observer

le vieux griffon. C'est alors que je le vois en train de filer EN RASANT LE MUR DE L'USINE !

— Vite, il ne doit pas nous échapper !

Cette fois, il ne s'agit plus d'être discret. Je galope COMME UN CHEVAL aux côtés de Mélia !

Nous contournons le bâtiment principal et

arrivons derrière l'usine,

là où les marchandises sont

chargées dans des camions.

J'ai la poitrine qui ne

demande qu'à EXPLOSER,

tellement je suis ESSOUFFLÉ !

— Regarde, Mélia ! Oscar

se dirige tout droit vers

cette remorque, là-bas !

— Mais que peut-il bien

y avoir à l'intérieur ?

chuchote la dalmatienne.

— Cette remorque est à l'écart des autres et paraît abandonnée, elle pourrait très bien servir de…

— De cachette? conclut Mélia.

— NOM D'UNE SAUCISSE ! Je crois que tu as raison !

Alors qu'Oscar arrive devant la remorque, nous apercevons un doberman qui POINTE SON MUSEAU, pour vérifier l'identité du visiteur. Au même moment, le vent se lève et nous rabat des odeurs de bifteck EN PLEINE TRUFFE !

— Ils ont déménagé tout leur stock ici, en déduit Mélia avec gravité. Woof, on a réussi à les retrouver ! Grâce à toi !

Je rougis AU TRAVERS DE MON POIL, fier de moi !

Il me semble que j'aurais bien MÉRITÉ un bifteck comme récompense, non?

CHAPITRE 10

Le dénouement

Aussitôt, Mélia et moi retournons chercher des renforts. LA BANDE de dobermans (avec Oscar à leur tête !) est arrêtée peu de temps après et n'oppose aucune résistance (il faut

dire que les preuves
sautent aux yeux !).

Le Conseil de Pitville est
convoqué en urgence et
décide que la viande volée
sera redistribuée à tous
les chiens errants de
la ville. Le Conseil décide
aussi de ne pas punir Oscar,
à cause de son grand âge.
Mais il ne devra pas
recommencer !

Ma mission étant terminée, je peux enfin retrouver la tranquillité…

… Mais, désormais, je ne verrai plus jamais **LE CHEF DE LA POLICE** de la même manière !

Mission accomplie !

Olivier Challet

Grand amateur de films d'espionnage et de polars, Olivier Challet a créé l'univers de Woof en pensant aux personnages des James Bond. L'auteur s'est bien amusé à plonger un chien agent secret au cœur d'enquêtes « canines ». L'humour est très présent dans cette série, car même si Woof n'hésite jamais à se lancer dans l'aventure, il aime plus que tout se prélasser au soleil et déguster son plat préféré : le ragoût de boulettes !

Dans la même série

Woof contre Dr Noss

Je m'appelle Woof. Vous pensez que
je ne suis qu'un chien de compagnie ?
Pas du tout ! Je suis agent secret.

Ma nouvelle mission ? Percer le mystère
de la disparition de chiens errants dans
les rues de Pitville. En effet, plusieurs
de nos compagnons ont disparu
dans des circonstances toutes plus
étranges les unes que les autres...

Dans la même série

Bons baisers de Pitou

Je m'appelle Woof. Vous pensez que
je ne suis qu'un chien de compagnie?
Pas du tout ! Je suis agent secret.

Ma nouvelle mission? Enquêter
sur la tragique disparition de Pitou.
En effet, ce collègue (pourtant
reconnu pour son courage et
son intelligence), a été victime
d'un accident durant ses vacances…

Catalogage avant publication de Bibliothèque et Archives nationales du Québec et Bibliothèque et Archives Canada

Challet, Olivier, 1966-
Woof! : opération bifteck

(Roman noir)
Troisième livre de la série Woof!
Pour enfants de 7 ans et plus.
ISBN 978-2-89686-595-6

I. Binette, Réal. II. Challet, Olivier, 1966- . Woof!. III. Titre. IV. Collection: Roman noir.

PS8605.H337W663 2013   jC843'.6
C2012-942160-X
PS9605.H337W663 2013

© Les éditions Héritage inc. 2013
Tous droits réservés
Dépôts légaux: 1ᵉ trimestre 2013
Bibliothèque et Archives nationales du Québec
Bibliothèque et Archives Canada
Bibliothèque nationale de France

Imprimé au Canada

Direction de la collection
et direction artistique: Agnès Huguet
Graphisme: Nancy Jacques
Révision et correction: Danielle Patenaude

Dominique et compagnie
300, rue Arran
Saint-Lambert (Québec)
J4R 1K5 Canada
Téléphone: 514 875-0327
Télécopieur: 450 672-5448
Courriel:
dominiqueetcie@editionsheritage.com
Site Internet:
dominiqueetcompagnie.com

Nous reconnaissons l'aide financière du gouvernement du Canada par l'entremise du Fonds du livre du Canada et par le Conseil des Arts du Canada.

Nous reconnaissons l'aide financière du gouvernement du Québec par l'entremise du Programme de crédit d'impôt – SODEC – Programme d'aide à l'édition de livres.

Achevé d'imprimer en février 2013
sur les presses de Imprimerie Payette & Simms inc.
à Saint-Lambert (Québec)